GW00730436

Las Lecturas ELI son ur
gama de publicaciones
de todas las edades, que
apasionantes historias a
emocionantes clásicos de siempre.
Están divididas en tres colecciones:
Lecturas ELI Infantiles y Juveniles,
Lecturas ELI Adolescentes y Lecturas
ELI Jóvenes y Adultos. Además de
contar con un extraordinario esmero
editorial, son un sencillo instrumento
didáctico cuyo uso se entiende de forma
inmediata. Sus llamativas y artísticas
ilustraciones atraerán la atención de los
lectores y les acompañarán mientras
disfrutan leyendo.

Miguel de Cervantes

LA GITANILLA

Reducción lingüística, actividades y reportajes
de Raquel García Prieto

Ilustraciones de Paola Chartroux

Lecturas ELI Adolescentes

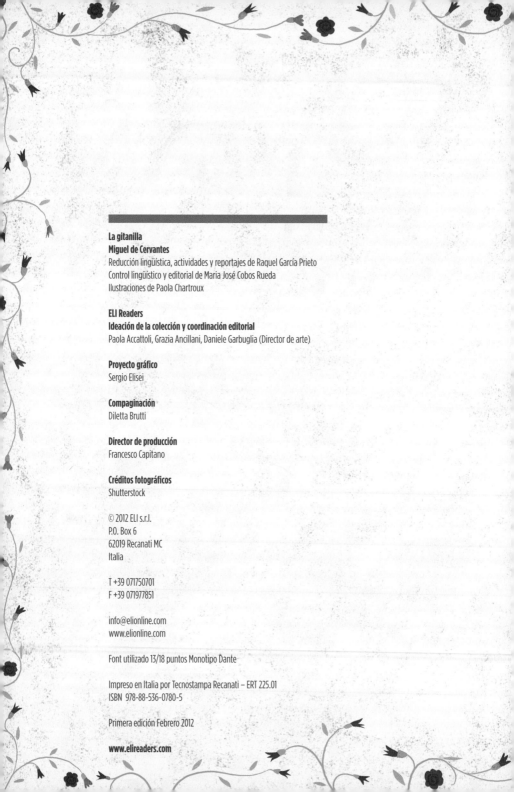

La gitanilla
Miguel de Cervantes
Reducción lingüística, actividades y reportajes de Raquel García Prieto
Control lingüístico y editorial de Maria José Cobos Rueda
Ilustraciones de Paola Chartroux

ELI Readers
Ideación de la colección y coordinación editorial
Paola Accattoli, Grazia Ancillani, Daniele Garbuglia (Director de arte)

Proyecto gráfico
Sergio Elisei

Compaginación
Diletta Brutti

Director de producción
Francesco Capitano

Créditos fotográficos
Shutterstock

© 2012 ELI s.r.l.
P.O. Box 6
62019 Recanati MC
Italia

T +39 071750701
F +39 071977851

info@elionline.com
www.elionline.com

Font utilizado 13/18 puntos Monotipo Dante

Impreso en Italia por Tecnostampa Recanati – ERT 225.01
ISBN 978-88-536-0780-5

Primera edición Febrero 2012

www.elireaders.com

Índice

6   Personajes principales

8   Actividades de pre lectura

10   Capítulo 1   **Preciosa**

16   Actividades

18   Capítulo 2   **La buenaventura**

28   Actividades

30   Capítulo 3   **Allí vio a un caballero...**

36   Actividades

38   Capítulo 4   **Los gitanos**

46   Actividades

48   Capítulo 5   **De viaje**

60   Actividades

62   Capítulo 6   **Los corregidores**

70   Actividades

72   Reportaje   **Miguel de Cervantes**

74   Reportaje   **Creador de la novela moderna**

76   Reportaje   **Esplendor y decadencia
de un gran imperio**

78   Test final

79   Programa de estudio

Estos iconos señalan las partes de la historia que han sido grabadas.

 empezar    parar

Personajes principales

La Carducha,
Juana

Abuela
gitana

Clemente

Andrés Caballero
(don Juan de Cárcamo)

CORREGIDOR Y CORREGIDORA
(don Fernando de Azevedo
y doña Guiomar)

PRECIOSA
(Costanza de Meneses, la Gitanilla)

7

Comprensión auditiva

▶2 **1 Escucha el Capítulo 1 y di si estas frases son verdaderas (V) o falsas (F).**

	V	F
Preciosa canta y baila muy bien.	☑	☐
1 Preciosa y su abuela viven en Madrid.	☐	☐
2 La gitanilla trabaja en un teatro.	☐	☐
3 Las gitanas bailan para obtener dinero.	☐	☐
4 Doña Clara oye cantar a Preciosa en la calle.	☐	☐
5 El paje da a Preciosa un poema y dinero.	☐	☐
6 La abuela de Preciosa siempre está con ella.	☐	☐
7 A la gente le gusta mucho cómo canta Preciosa.	☐	☐

Gramática

2 Une estas palabras del Capítulo 1 con su significado.

1 ☐C hurtar
2 ☐ copla
3 ☐ son
4 ☐ grosero
5 ☐ corro
6 ☐ ingenio

a canción popular breve
b círculo de personas alrededor de algo o alguien
c robar
d inteligencia, talento
e ritmo (de la música)
f persona vulgar, maleducada

8

3 Une cada personaje con la acción que realiza.

1 ☑d Preciosa   **a** componer poemas

2 ☐ la gitana vieja   **b** recoger limosna

3 ☐ el teniente   **c** invitar a las gitanas a su casa

4 ☐ el paje   ☑d cantar y bailar

Gramática

4 Entre estos verbos del texto, encuentra los que son irregulares en Presente de indicativo. Colócalos en la columna correspondiente.

> criar • conseguir • aprender • volver • soler • decir • tomar • consentir • querer • poner • hacer

Diptongación e → ie	Diptongación e → ue	Cambio vocálico e → i	Primera persona irregular
....	....	....	....
....	....	....	....
....	....	....	....

Expresión escrita

5 ¿Has oído la poesía de amor del paje? Imagina que quiere escribirle a Preciosa una breve carta de amor, ¡ayúdale tú! Empieza así:

Querida Preciosa:

Te escribo para decirte que ....

....

....

....

Con amor, tu admirador

El Paje

Capítulo 1

Preciosa

▶ 2 Una gitana vieja, que conocía muy bien la ciencia*
de Caco, crió a una muchacha como a una nieta.
La llamó Preciosa y le enseñó muy bien las artes
de hurtar y engañar propias de los gitanos. Se
convirtió Preciosa en la más hábil bailadora y la
más hermosa y discreta criatura no solo entre
los gitanos, sino entre gentes de toda condición.
Ni siquiera todas las inclemencias del cielo a las
que están expuestos los gitanos consiguieron
deslustrar* su rostro ni curtir sus manos. Además
era muy cortés y bien razonada, y aunque era
aguda y desenvuelta, era tan honesta que nadie
osaba cantar cantares* lascivos ni decir palabras
no buenas en su presencia. Aprendió los mejores
villancicos, coplas y seguidillas y cantaba como
nadie los romances; con todas estas gracias vio su
abuela que podía ella sola ganarse la vida y decidió
enseñarle a valerse por sí misma.

ciencia de Caco el "arte" de robar
deslustrar estropear, quitar la belleza
cantares canciones

Preciosa se crió viajando por toda Castilla y a los quince años su abuela putativa volvió con ella a su antiguo rancho* en la Corte*, en los campos de Santa Bárbara que es donde lo suelen tener los gitanos. El primer día que Preciosa entró en Madrid fue en la fiesta de Santa Ana, patrona de la villa. Fue con un grupo de cuatro gitanas ancianas, cuatro muchachas y un gran bailarín gitano. Preciosa era tan hermosa y aseada, que todos los que la miraban se enamoraban de ella. Todos admiraron su belleza y donaire* cuando bailó al son del tamborín y las castañetas. Pero cuando la oyeron cantar, ¡allí nació la fama de la gitanilla! Unos decían: «¡Dios te bendiga, muchacha!», otros: «En verdad, que merecía ser hija de un gran señor», y otros más groseros: «¡A fe que está creciendo en ella una red para pescar corazones!».

Cuando se terminaron las fiestas de Santa Ana, se hablaba de Preciosa en toda la Corte. Quince días más tarde, volvió a Madrid con otras tres muchachas. La gitana vieja no se apartaba nunca de ella: era

rancho lugar fuera de una ciudad donde viven varias personas
Corte Madrid
donaire gracia y soltura en el comportamiento

su Argos*, porque temía que alguien pudiera engañarla y llevársela. La llamaba nieta y Preciosa pensaba que era su abuela. Se pusieron a bailar a la sombra en la calle Toledo, y quienes las seguían hicieron un corro. Mientras ellas bailaban, la vieja pedía limosna y le llovían ochavos* y cuartos: la hermosura despierta la caridad dormida.

Cuando terminó el baile dijo Preciosa:

–Si me dan cuatro cuartos les cantaré un romance lindísimo, compuesto por un poeta verdadero.

–¡Cántalo, Preciosa y te doy mis cuatro cuartos! –, dijeron a voces casi todos los que estaban en el corro.

Así granizaron sobre ella tantos cuartos, que la vieja no conseguía cogerlos todos. Hecha su vendimia, repicó Preciosa sus sonajas y cantó con gran brío un alegre y hermoso romance.

Más de doscientas personas estaban mirando el baile de las gitanas, cuando pasó por allí uno de los tenientes* de la villa. El teniente escuchó un rato a la

---

Argos persona muy vigilante
ochavos monedas de poco valor
tenientes personas que sustituyen al alcalde para ejercer sus funciones

gitanilla y como fue* de su agrado, mandó a un paje para hablar con la vieja: así, acordaron ir a cantar y bailar a casa de doña Clara, la mujer del teniente.

Acabaron el baile, se fueron de allí y en esto se acercó un paje a Preciosa. Le dio un papel doblado y le dijo:

–Preciosica, canta este romance, que es muy bueno y ya te daré otros; así te harás la mejor romancera del mundo.

–De buena gana lo haré si son honestos, –respondió Preciosa. Estuvieron de acuerdo y así se despidieron.

Siguieron las gitanas adelante, cuando desde una reja las llamaron unos caballeros. Se asomó Preciosa y vio en una rica sala varios caballeros que se entretenían jugando a diversos juegos.

–¿Quieren darme barato*, señores? –dijo Preciosa.

Al oírla dejaron los hombres el juego y la invitaron a entrar. Cuando entró Preciosa, un caballero vio el papel con el poema del paje, se lo quitó y al abrirlo cayó un escudo* de oro. A

---

fue de su agrado le gustó
barato aquí, limosna
escudo moneda de gran valor

Preciosa no le gustó el atrevimiento del poeta; por eso permitió al caballero leerlo en voz alta:

Preciosa joya de amor,
esto humildemente escribe
el que por ti muere y vive,
pobre, aunque humilde amador.

–¡Mala señal! –dijo Preciosa –. Los enamorados no deben decir que son pobres, la pobreza es enemiga del amor.

–¿Quién te enseña eso, rapaza*? –dijo uno.

–Nadie, ¿no tengo ya quince años? Los ingenios de las gitanas siempre se adelantan a los de las demás gentes, que el sustento de los gitanos es ser agudos y astutos. Tienen como maestros al diablo y al uso, que les enseñan en una hora lo que aprenderían en un año.

Quedaron sorprendidos los oyentes de la sabiduría y astucia de la muchacha, le dieron barato a la vieja y marcharon las gitanas a casa del teniente.

rapaza muchacha

Comprensión lectora

1 Marca la respuesta correcta.

La gitana vieja es:

A ☑ una hábil ladrona.

B ☐ una señora distraída.

C ☐ muy tímida.

1 Preciosa es una muchacha:

A ☐ un poco tímida.

B ☐ muy hábil engañando a la gente.

C ☐ muy hermosa.

2 Preciosa cree que:

A ☐ los gitanos son mentirosos.

B ☐ la gitana vieja es su abuela.

C ☐ los cantares son descarados.

3 Cuando el teniente escuchó a la gitanilla:

A ☐ se enamoró de ella.

B ☐ quiso que la viera su mujer.

C ☐ le dio limosna.

4 Los caballeros piensan que la gitanilla es:

A ☐ muy lista.

B ☐ muy sosa.

C ☐ muy engreída.

Vocabulario

2 **Estos adjetivos se refieren a Preciosa; une cada uno con su contrario.**

1 ☑ hábil   **a** indecente
2 ☐ hermosa   **b** indiscreta
3 ☐ discreta   **c** ignorante
4 ☐ honesta   **d** torpe
5 ☐ aseada   **e** sucia
6 ☐ aguda   **f** fea
7 ☐ sabia   **g** ingenua

Gramática

3 **Escribe de nuevo estas frases en tu cuaderno, sustituyendo las partes subrayadas por pronombres.**

La gitana vieja conocía muy bien la ciencia de Caco.
.... *La gitana vieja la conocía muy bien.* ....

1 Preciosa aprendió los mejores villancicos y romances.
....

2 La gitana vieja enseñó muy bien a Preciosa el arte de robar.
....

3 El paje dio a Preciosa un papel doblado.
....

4 Los caballeros invitaron a entrar a las gitanas.
....

Actividad de pre lectura

4 **Lee el Capítulo 2 y contesta verdadero (V) o falso (F).**

		V	F
1	Preciosa lee un poema a doña Clara.	☐	☐
2	Preciosa se lleva muchas limosnas de casa de doña Clara.	☐	☐
3	Un muchacho rico quiere casarse con Preciosa.	☐	☐
4	Preciosa pone a prueba al muchacho rico.	☐	☐
5	Preciosa acepta los versos y los regalos del paje.	☐	☐

Capítulo 2

La buenaventura

La señora Clara estaba esperando a las gitanillas con sus doncellas y dueñas* y también con las de otra vecina suya.

–¡Qué cabello de oro! ¡Qué ojos de esmeraldas! –dijo doña Clara cuando vio a Preciosa.

–¡Por dios, tan linda es que hecha de plata no podría ser mejor! –dijo el escudero* de brazo de la señora Clara– ¿Sabes decir la buenaventura, niña?

–De tres o cuatro maneras– respondió Preciosa.

La señora Clara, alborozada, pidió a Preciosa este servicio; la vieja dijo:

–Si le dan la palma de la mano y una moneda para hacer la cruz, verán que sabe más que un doctor.

Buscaron todos una moneda para Preciosa, pero nadie parecía tener* blanca. Solo una criada sacó dedal de plata; tomó Preciosa el dedal y la mano de la señora y dijo:

---

dueñas mujeres de servicio en las casas de los ricos
escudero de brazo criado que acompaña a la señora de la casa
tener blanca tener dinero

Hermosita, hermosita,
la de las manos de plata,
más te quiere tu marido
que el Rey de las Alpujarras.
Cosas hay más que decirte;
si para el viernes me aguardas,
las oirás, que son de gusto,
y algunas hay de desgracias.

Estos y otros versos dijo Preciosa, y todas querían saber su buenaventura; ella se lo prometió para el viernes siguiente y todas ofrecieron reales de plata para las cruces. Mientras, llegó el teniente.

Quiso ver bailar a las gitanillas y quedó de ellas contento, pero tampoco él, tras rascar bien el bolsillo con grandes gestos, encontró ninguna moneda. Vio Preciosa que no le querían dar nada y dijo al teniente:

—Volveré a servir a tan principales señores, pero sin esperar nada, que así me ahorro la fatiga de esperarlo.

–Ea, niña, no hables más –dijo la gitana vieja–
que sabes más de lo que yo te he enseñado. Eres
demasiado altanera.

De esta forma se despidieron las gitanas hasta el
viernes siguiente.

Un día que volvían a Madrid con las demás gitanillas,
en un valle vieron a un mancebo gallardo y
ricamente vestido en el camino. Traía espada y daga
como ascuas de oro y un sombrero con rico cintillo
y plumas de colores.

Se acercó a las gitanas y pidió a la anciana permiso
para hablar. Se desviaron unos pasos y el mancebo
dijo:

–Vengo rendido★ a la discreción y belleza
de Preciosa. Señoras mías, soy caballero como
demuestra este hábito★ –y descubrió en el pecho
uno de los más altos de España–; soy hijo único y
espero un razonable mayorazgo★. Quisiera ser aún
mayor señor para hacer a Preciosa mi igual y mi
señora: quiero servirla, su voluntad es la mía.

rendido a enamorado de
hábito insignia de una orden militar
mayorazgo herencia

Para terminar, les dijo su nombre y sus señas y les entregó cien escudos de oro como señal de su intención.

—Yo, señor caballero —respondió Preciosa— soy gitana pobre pero mi ánimo es fuerte. No me mueven promesas ni me convencen regalos. Aunque tengo solo quince años entiendo más de lo que mi edad promete. Sé ya que las pasiones de los recién enamorados desaparecen cuando se alcanza lo que se desea y se aborrece* lo que antes se adoraba. Por eso yo no creo en ninguna palabra y dudo de muchas obras. Tengo una sola joya que es mi virginidad y la estimo más que a la vida: no la vendo a precio de promesas ni dádivas. Si vos* venís por esta prenda, solo la llevaréis con los lazos del matrimonio. Y si queréis ser mi esposo, primero tengo que saber si sois el que decís; luego, debéis dejar vuestra casa y cambiarla por nuestros ranchos. Debéis vivir como gitano durante dos años; durante este tiempo seremos hermanos en el trato. Sin esta condición no seré vuestra nunca.

—Preciosa mía —replicó el gentilhombre—, mi

---

aborrece odia
vos uso antiguo de tú o vosotros; usado con la 2 persona en plural del verbo

amor por ti me obliga a hacer lo que me pides. Considérame gitano desde ahora. Pienso engañar a mis padres diciendo que voy a Flandes, y en ocho días estoy aquí.

Solo le pidió una cosa a Preciosa: después de informarse de su calidad y la de sus padres, no debía ir más a Madrid, pues él temía que allí pudiera encontrar a otros hombres. Preciosa replicó:

—Eso no: conmigo debe reinar la libertad; los celos no deben estorbarla. Mi honestidad se verá siempre, incluso desde lejos: debéis tener confianza en mí, porque los amantes que muestran celos o son simples o son confiados.

—Muchacha, pareces poseída por Satanás –dijo la gitana vieja–: sabes de amor, de celos, de confianzas: ¿cómo es esto? Te escucho como a persona espiritada* que habla latín sin saberlo.

—Abuela, esto que oye no es nada: mucho más me queda en el pecho.

Finalmente quedaron en verse en aquel lugar ocho

espiritada poseída por un espíritu

días después. Sacó el mozo una bolsita con cien ducados de oro para dárselos a la vieja. Preciosa no los quería aceptar, pero la gitana dijo:

–Calla niña, que la mejor prueba de que este señor está rendido es que ha entregado las armas; y el dar es señal de generosidad. Y además, no quiero yo que por mi culpa las gitanas pierdan el nombre que tienen desde hace siglos de codiciosas: ¿quieres que deseche* cien escudos? Y si alguno de nuestros parientes cae en manos de la justicia, ¿hay algo mejor que estos escudos para obtener el favor del juez? Nosotras tenemos un oficio muy peligroso y solo con los doblones se nos muestra alegre el procurador. Prefieren castigarnos a nosotras, pobres gitanas, que a un salteador* de caminos: dicen que vamos rotas y grasientas pero que estamos llenas de doblones.

Ante todos estos razonamientos Preciosa cedió, pero quiso compartir el oro con sus compañeras.

Concertaron, pues, que su nombre de gitano iba a ser Andrés Caballero, por ser éste un apellido que

---

deseche (subjuntivo) rechazar
salteador de caminos ladrón

tenían también otros gitanos. Luego Andrés las dejó y se fue a Madrid y ellas hicieron lo mismo.

A Preciosa no le pareció mal Andrés, y deseaba saber pronto si era quien decía. Entrando en Madrid, se encontró con el paje de las coplas y el escudo; él, al verla, le preguntó si había leído sus versos, pero Preciosa quiso saber si era él el poeta.

–El nombre de poeta lo merecen muy pocos; yo soy solo un aficionado a la poesía. Los que te di son míos, y estos que te doy ahora también, mas no soy poeta, ni Dios lo quiera.

–¿Tan malo es ser poeta? –replicó Preciosa.

–No es malo –dijo el paje–, pero ser solo poeta no es bueno. La poesía es una joya preciosísima, y su dueño no la muestra todos los días a todas las gentes. La poesía es una bellísima doncella, casta, honesta, aguda y retirada. Es amiga de la soledad, los prados la consuelan, las flores la alegran y deleita* a todos los que con ella comunican. Pero, ¿por qué me haces esa pregunta, Preciosa? Respondió ella que, como pensaba que los poetas

---

deleita produce placer

eran pobres, le causaba maravilla* el escudo de oro que el paje le había dado.

–Ahora que sé que no sois poeta sino solo aficionado –dijo Preciosa–, podría creer que sois rico, pero lo dudo.

El paje replicó que él no era ni rico ni pobre, y que podía sin problemas regalar un escudo a quien quisiera. Dio a Preciosa otro papel y cuando ella notó el escudo dentro, dijo:

–Señor paje, este papel trae dos almas: una la del escudo y la otra la de los versos. No quiero tantas almas: si no saca una, no me quedaré con la otra. Le acepto como poeta, no como dadivoso*, y de esta forma seremos siempre amigos.

El paje entonces aceptó quedarse con el escudo para poder regalarle sus versos. Le devolvió Preciosa el escudo y se quedó con el papel, pero no lo quiso leer en la calle. El paje se fue contentísimo, pensando que Preciosa estaba enamorada, pues era ya muy afable* con él.

causar maravilla sorprender
dadivoso generoso, que regala
afable de agradable conversación

Comprensión lectora

1 Une cada pregunta con su respuesta adecuada.

1 🄴 ¿Qué necesita Preciosa para decir la buenaventura?
2 ☐ ¿Qué lee Preciosa en la mano de doña Clara?
3 ☐ ¿Quién es el gallardo muchacho que espera a las gitanas en el camino?
4 ☐ ¿Se fía Preciosa del amor del joven caballero?
5 ☐ ¿Qué condición tiene que cumplir el caballero para casarse con ella?
6 ☐ ¿Qué piensa Preciosa de los celos?

a Que hacen daño y limitan la libertad.
b Que su marido la quiere mucho.
c Un caballero rico y noble.
d Debe renunciar a sus riquezas y vivir dos años como gitano.
e Una moneda y la palma de la mano.
f No, ella piensa que el puede cambiar de idea.

2 ¿Quién dice estas frases? Escribe el nombre de cada personaje.

Preciosa • gitana vieja • Andrés • el paje • doña Clara

...*doña Clara*... : «¡Qué cabello de oro!»
1 .... : «Si queréis ser mi esposo, primero tengo de saber si sois el que decís».
2 .... : «Yo soy solo un aficionado a la poesía».
3 .... : «Ea, niña, no hables más, que sabes más de lo que yo te he enseñado».
4 .... : «Considérame gitano desde ahora».

Gramática y vocabulario

3 **¿A qué personajes se pueden referir estos sustantivos? Escríbelo.**

> codicia • tacañería • inteligencia • belleza •
> ~~generosidad~~ • gallardía • pobreza • hipocresía

Andrés: ...*generosidad*...

Preciosa: ....

Teniente: ....

Gitana vieja: ....

4 **Completa estas frases con el Presente de indicativo de los verbos entre paréntesis.**

Doña Clara (pedir) ......*pide*...... a Preciosa que le diga la buenaventura.

1 El teniente no (querer) .... darle dinero a Preciosa.

2 El muchacho (venir) .... a hablar con Preciosa porque está enamorado.

3 Preciosa (tener) .... solo quince años.

4 Andrés (volver) .... a Madrid a preparar su viaje.

5 El paje (decir) .... a Preciosa que no es poeta.

Actividad de pre lectura

Expresión oral

5 **Preciosa y Andrés se van a Madrid por distintos caminos. ¿Qué va a pasar? Elige una de estas posibilidades y explícalo en tres minutos.**

- Preciosa descubre que Andrés es un ladrón. Ella y el paje se enamoran.
- Andrés y el paje se encuentran. Pelean y uno muere.
- Los padres de Andrés rechazan a Preciosa. Ella y Andrés huyen juntos.

Capítulo 3

Allí vio un caballero...

▶ 3 Preciosa fue a buscar la casa del padre de Andrés
y cuando estuvo en su calle, alzó los ojos a unos
balcones de hierro dorados. Allí vio a un caballero
de unos cincuenta años, con un hábito de cruz*
colorada en el pecho. Cuando vio a la gitanilla la
invitó a subir con las demás. Salieron entonces al
balcón otros tres caballeros entre los que estaba
Andrés, que al ver a Preciosa casi pierde los sentidos.
Subieron todas las gitanas menos la grande, que se
quedó abajo para informarse de las verdades de
Andrés hablando con los criados.

–¡Por vida de don Juanico, mi hijo, –dijo el anciano–,
que aún sois más hermosa de lo que dicen, linda
gitana!

Preguntó Preciosa quién era don Juanico y cuando
señaló el anciano a Andrés respondió Preciosa:

–¡Pensé que se hablaba de algún niño! Pero veo
que ya podría estar casado, y por esas rayas de su

cruz colorada cruz de la Orden de Santiago

30

frente se casará antes de tres años, y muy a su gusto si no se pierde antes.

–¿Qué sabe la gitanilla de rayas? –dijo uno de los presentes.

–Lo que veo con los ojos, con el dedo lo adivino. Sé que don Juanico es enamoradizo* e impetuoso, y promete cosas que parecen imposibles. ¡Quiera Dios que no sea mentiroso! Ahora debe hacer un viaje muy lejos, y quién sabe si llegará adonde piensa ir.

Don Juan protestó porque, aunque ella acertaba en muchas cosas, no acertaba al llamarlo mentiroso porque él decía siempre la verdad. En cambio, confirmó que se iba en cuatro o cinco días a Flandes. Preciosa intentó convencerle de abandonar el viaje, quedarse con sus padres y sosegarse* antes de pensar en las guerras y en casarse. Don Juan respondió que había dado su palabra y la iba a cumplir; llegó entonces la vieja, y dijo:

–Nieta, acaba, que es tarde y hay mucho que hacer. Tengo noticia de que hay* hijo, y muy lindo: ven, que oirás maravillas de él.

enamoradizo que se enamora fácilmente
sosegarse calmarse
hay hijo "Andrés es un buen partido"

–¿Ha parido alguna señora? –preguntó el padre de Andrés Caballero.

–Sí, señor –respondió la gitana–, pero ha sido un parto tan secreto que solo lo sabemos Preciosa y yo, y otra persona. No podemos decir quién es.

–No queremos saber aquí de quién habláis –dijo uno de los presentes–, pero desdichada de la persona que os cuenta un secreto y os confía su honra.

–No todas somos malas –respondió Preciosa– algunas entre nosotras son más secretas y verdaderas que el hombre más estirado* de esta sala. Vamos, abuela, que aquí nos menosprecian; no somos ni ladronas ni rogamos a nadie.

–Preciosa, no os enojéis –dijo el padre–, se ve que sois buena. Por favor, bailad un poco que tengo un doblón de oro para vosotras.

Cuando oyó esto la abuela, dijo:

–Ea, niñas, haldas* en cinta, y a bailar para estos señores.

Las gitanillas empezaron a bailar con tanto donaire que todos quedaron embelesados* mirando los pies de las bailarinas; especialmente

---

estirado engreído, que se cree importante
haldas en cinta levantar las faldas para poder bailar
embelesados cautivados, maravillados

Andrés, cuyos ojos se iban tras los pies de Preciosa. Pero sucedió que durante el baile se le cayó a Preciosa el papel del paje; lo vio el que no tenía un buen concepto de las gitanas y dijo:

–¡Bueno, sonetico tenemos! Vamos a escucharlo, que no parece nada necio.

Preciosa protestó y rogó pero todos, sobre todo Andrés, querían oírlo. Finalmente el caballero lo leyó. Decía así:

Cuando Preciosa el panderete toca
y hiere el dulce son los aires vanos,
perlas son que derrama con las manos;
flores son que despide de la boca.

Al oír el soneto, a Andrés le sobresaltaron★ mil celosas imaginaciones. Casi se desmayó, perdió el color y tuvo que sentarse. Su padre se preocupó al verlo tan pálido, pero Preciosa sabía cuál era su mal y dijo:

–Un momento, yo le diré unas palabras al oído, y verán cómo no se desmaya.

Se acercó a él y, casi sin mover los labios, le dijo:

sobresaltaron entristecieron, acongojaron

–¡Ánimo* débil para un gitano! ¿Cómo podrás sufrir tormentos reales si no puedes con el de un papel?

Le hizo unas cruces en el pecho y con esto Andrés respiró y fingió que las palabras habían hecho el milagro.

Cuando la gitana vieja entendió todo este embuste*, quedó pasmada; y más Andrés, que comprobó así el agudo ingenio de Preciosa.

Luego se despidieron las gitanas y, al irse, dijo Preciosa a don Juan:

–Mire, señor, cualquier día de esta semana es próspero para viajar; le aconsejo irse muy pronto, que le espera una vida ancha, libre y muy gustosa.

Con estas últimas palabras quedó contento Andrés y las gitanas se fueron. ■

ánimo carácter
embuste mentira

Comprensión lectora

**1 Di si estas frases son verdaderas (V) o falsas (F).
Corrige las falsas en tu cuaderno.**

           V F

1 El verdadero nombre de Andrés es Juan. □ □

2 Preciosa tiene miedo de entrar en casa de Andrés. □ □

3 Preciosa lee la mano al padre de don Juan. □ □

4 Preciosa aconseja a don Juan irse rápidamente
a la guerra. □ □

5 Don Juan sintió celos cuando oyó el soneto. □ □

6 Preciosa hizo magia para evitar el desmayo de
don Juan. □ □

7 La abuela comprueba que Andrés ha dicho la
verdad sobre su familia. □ □

Vocabulario y gramática

**2 Preciosa lee el futuro de Andrés en las rayas de su frente.
Escribe en tu cuaderno estas frases, usando la perífrasis
ir a + infinitivo para expresar el futuro.**

«Te casas dentro de tres años»
Te vas a casar dentro de tres años

1 «Haces un largo viaje»

2 «A lo mejor no llegas al lugar donde piensas ir»

3 «Tu padre te busca por todo el mundo y no te encuentra»

4 «Tus padres están muy tristes sin tus noticias»

5 «Durante el viaje tu vida es libre y muy gustosa»

36

3 Esto es lo que Andrés dice a Preciosa cuando ella le lee el futuro en las rayas de la frente. Elige la opción correcta.

«Gitanica, has acertado en (0) ....*muchas*.... de las cosas que has dicho. Pero yo no (1) .... mentiroso, porque puedo presumir de decir siempre la verdad en (2) .... las circunstancias. En cuanto a lo (3) .... largo viaje has dicho la verdad: si Dios quiere, (4) .... cuatro o cinco días me voy a Flandes, aunque tú dices que me puede suceder (5) .... por el camino. Pero yo espero que todo salga bien».

	a	muy	**b**	mucho	**c**	muchas
1	**a**	soy	**b**	estoy	**c**	hago
2	**a**	cada	**b**	todas	**c**	cada una
3	**a**	de él	**b**	del	**c**	de el
4	**a**	dentro de	**b**	hasta	**c**	hacia
5	**a**	alguno	**b**	nada	**c**	algo

Actividad de pre lectura

Comprensión auditiva

▶ 4 **4** Lee estas frases e intenta adivinar si son verdaderas (V) o falsas (F). Luego lee el Capítulo 4 y comprueba.

                                                              V F

1 Cuando Andrés ve a los gitanos, piensa en volver ☐ ☐ a casa.

2 El paje aparece inesperadamente en el rancho de los gitanos. ☐ ☐

3 Preciosa está orgullosa de Andrés. ☐ ☐

4 Andrés no quiere robar, como hacen todos los gitanos. ☐ ☐

Los gitanos

▶ 4 Una mañana Andrés Caballero, solo y sobre una mula de alquiler, apareció en el lugar de su primer encuentro con Preciosa, y allí estaban esperándole ella y su abuela. Fueron al rancho todos juntos y allí llegaron al poco rato; Andrés entró en la mayor barraca* del rancho y fueron a verlo diez o doce gallardos gitanos que conocían su secreto. Enseguida vieron la mula, y uno de ellos dijo:

–Esta se podrá vender el jueves en Toledo.

–Eso no –dijo Andrés–, una mula de alquiler la conocen todos los mozos de mulas. Hay que matar esta mula y enterrarla, que temo ser descubierto.

Estuvieron de acuerdo los gitanos, y en seguida hicieron las ceremonias para convertir a Andrés en gitano. Adornaron un rancho de los mejores con ramos y al son de dos guitarras que tocaban dos gitanos, le hicieron dar a Andrés dos cabriolas. Todos quedaron contentos de cómo se comportaba

barraca caseta de materiales ligeros

y de su gallardía. Luego, un gitano viejo tomó por mano a Preciosa y dijo a Andrés:

–Te entregamos a la gitana más hermosa, puedes hacer lo que quieras de ella; mírala bien, que si en ella ves defectos y prefieres a otra de las doncellas que aquí hay, te la daremos. Pero debes saber que cuando escoges a una mujer, ya no puedes dejarla por otra ni debes desear a la de otro. Nosotros vivimos libres de la pestilencia* de los celos, aquí no hay adulterio porque somos jueces y verdugos de nuestras esposas. Con este temor de ser castigadas ellas son castas y nosotros vivimos seguros. Con estas y otras leyes nos conservamos alegres: somos señores de los campos, de las fuentes y de los ríos. Los montes nos regalan leña; los árboles, frutas; las viñas, uvas; los ríos, peces y los vedados*, caza; las peñas, sombra y las cuevas, casas. No nos dan miedo los barrancos ni los muros, y no nos desaniman ni la tortura ni la horca. Somos rápidos como el ave de rapiña para lanzarnos sobre las ocasiones que encontramos en el camino: de día trabajamos y de noche hurtamos. Para nosotros estas humildes

pestilencia cosa mala que origina daños graves
vedados campo donde no se puede cazar

barracas son suntuosos* palacios, y los verdes prados y nevadas cumbres de la naturaleza son cuadros de Flandes. El sol y las estrellas nos dicen qué hora es y estamos contentos con sol y con hielo, con esterilidad* y con abundancia. Te digo todo esto para avisarte de la vida a que has venido.

Andrés contestó que renunciaba con gusto a su profesión de caballero y a su ilustre linaje para tener a la hermosa gitanilla. A todo esto respondió Preciosa:

–Estos señores han decidido por sus leyes que soy tuya; pero yo he decidido por la ley de mi voluntad, que es la más fuerte de todas, que no quiero serlo si no es con las condiciones que hemos concertado. Primero debes vivir con nosotros dos años. Si no quieres, puedes irte: coge tu mula, tus vestidos y tu dinero. Estos señores pueden entregarte mi cuerpo, pero no mi alma, que es libre y será libre para siempre. No me enfadaré si te vas, porque creo que el amor es impetuoso pero termina cuando se encuentra con la razón o el desengaño. Esta

suntuosos lujosos, magníficos
esterilidad escasez, miseria

hermosura mía que tanto estimas a primera vista, ¿no te parecerá falsa si la tienes cerca? Los amantes juran cualquier cosa con tal de conseguir su deseo, así que yo no quiero juramentos ni promesas, sino hechos. Por eso te doy dos años de tiempo, así puedes estar seguro de tus sentimientos. Yo no me rijo* por la insolente costumbre que estos parientes tienen, que dejan a las mujeres o las castigan cuando quieren.

–Tienes razón, Preciosa –dijo Andrés–, así será. Solo pido una cosa a mis compañeros, y es tener paciencia porque no sé robar y necesito muchas lecciones antes de aprender.

–Calla, hijo –replicó el viejo–, que te vamos a enseñar muy bien el oficio y te gustará tanto como a nosotros.

Unos días después levantaron el rancho y se fueron a una aldea a dos leguas de Toledo, donde se asentaron. Dieron unas prendas* de plata al alcalde del pueblo como fianza de que no iban a robar nada allí. Hecho esto, se esparcieron todos

me rijo obedezco, me dejo llevar
prendas objetos de cierto valor dados como fianza

los gitanos y gitanas por los alrededores y Andrés tuvo sus primeras lecciones de ladrón, pero no dieron provecho: con cada hurto que hacían sus compañeros, él pagaba con su dinero a las víctimas, conmovido por sus lágrimas. Como esto disgustaba a los gitanos, decidió irse a robar él solo: así podía comprar cosas con su dinero y luego decir que las había robado. Con este truco traía más beneficios que los demás, y Preciosa estaba contenta de su hábil ladrón.

Se fueron luego a Extremadura, tierra rica y caliente. Andrés tenía una gran fama, pues siempre ganaba en las apuestas de corredor, jugaba a los bolos y a la pelota mejor que nadie y tiraba la barra con mucha fuerza. También la fama de Preciosa volaba y los llamaban a todas las fiestas para entretenerlas; de esta forma el aduar* era próspero y los amantes felices.

Una noche que tenían el aduar en un bosque de encinas, oyeron ladrar sus perros más de lo normal;

aduar conjunto de barracas de los gitanos

salieron Andrés y otros gitanos a ver qué pasaba y vieron a un hombre vestido de blanco, a quien los perros mordían en una pierna. Corrieron los gitanos a liberarlo de los perros y le preguntaron qué estaba haciendo allí. El mordido aseguró que no iba a robar, que estaba perdido y que necesitaba un lugar donde curarse de las heridas de los perros.

–Para curar vuestras heridas y alojaros esta noche no os faltará comodidad en nuestro rancho –dijo Andrés.

A la luz de la luna vieron que el hombre era mozo de gentil rostro y talle*, y venía vestido de lienzo blanco. Lo llevaron a la barraca de Andrés y acudió la abuela de Preciosa a curarlo. Mientras lo hacía, estaba Preciosa presente y vio Andrés que ella y el herido se miraban con mucha atención, pero pensó que era debido a la belleza de su enamorada.

Cuando lo dejaron durmiendo, Preciosa llamó a Andrés y le dijo:

–¿Recuerdas el papel que se me cayó en tu casa

talle *forma del cuerpo*

con un soneto? Pues el que lo hizo es ese mozo mordido. Era paje y no de los ordinarios; es discreto y honesto. ¿Qué estará haciendo aquí?

–Está aquí –respondió Andrés– por la misma razón que a mí me ha hecho gitano. ¡Ah, cómo se ve que te quieres preciar* de tener más de un enamorado!

Preciosa se ofendió por estas palabras. ¿Cómo podía dudar de ella con tanta facilidad? ¿Acaso no podía ella callar y encubrir a aquel mozo si había algún engaño o artificio?

–Calla, Andrés, y mañana averigua adónde va o a lo que viene. Luego despídele y haz que se vaya. Mira que los celos no dejan el entendimiento libre para juzgar las cosas como ellas son. Los celosos miran con anteojos* que hacen ver los enanos, gigantes y las sospechas, verdades.

Así lo prometió Andrés, y se despidieron hasta el día siguiente. ■

preciar presumir
anteojos gafas

Comprensión lectora

1 **Escribe preguntas para estas respuestas.**

¿Cómo .... *llegó Andrés al rancho de los gitanos* ....?
Solo y sobre una mula.

1 ¿Cómo ....?
Mirando el sol y las estrellas.

2 ¿Qué ....?
Que debía vivir dos años con los gitanos.

3 ¿Por qué ....?
Porque a los demás gitanos les disgustaba que diera
dinero a sus víctimas.

4 ¿Quién ....?
Era el paje que había escrito sonetos a Preciosa.

5 ¿Quién ....?
La abuela de Preciosa.

2 **Coloca estos sucesos por orden cronológico.**

☐ El gitano viejo entrega a Preciosa como esposa a
Andrés.

7 Andrés llega al rancho montado en una mula.

☐ Todos los gitanos se van a Extremadura.

☐ Preciosa reconoce al paje que le escribía versos.

☐ Se hacen los ritos necesarios para convertir a Andrés en
gitano.

☐ Una noche, los perros del rancho descubren y muerden
a un desconocido.

☐ Preciosa se niega a obedecer las leyes de los hombres e
insiste en sus condiciones antes de casarse.

Gramática

3 **Completa estas frases con el Pretérito indefinido de los verbos.**

Andrés no (querer) ....*quiso*........ que los gitanos vendieran la mula.

1 En el rancho (hacerse) .... una ceremonia en la que (ellos, convertir) .... a Andrés en gitano.

2 Cerca de Toledo los gitanos (dar) .... a Andrés lecciones de robo.

3 Una noche, los gitanos (oír) .... ladrar a los perros.

4 Dijo Andrés: «Ayer (yo jugar) .... a la pelota y (ganar) ....»

Actividad de pre lectura

DELE - Expresión escrita

4 **El gitano viejo cuenta a Andrés cómo es la vida de los gitanos. Escribe tú un email a un amigo extranjero contándole cómo son tus fines de semana.**

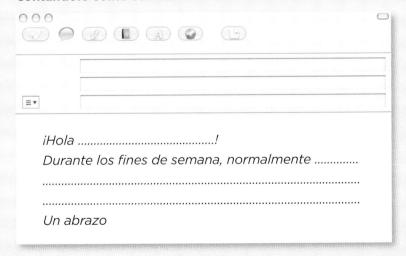

¡Hola ....!

Durante los fines de semana, normalmente ....

....

....

Un abrazo

De viaje

Se hizo de día y fue Andrés a visitar al mordido y, tras comprobar que ya estaba bien, le preguntó cómo se llamaba y adónde iba tan tarde y fuera del camino la noche anterior. Contestó el hombre que se llamaba Alonso Hurtado; que iba a Nuestra Señora de la Peña de Francia a hacer un negocio, viajando de noche para ir más rápido y que se había perdido. Andrés notó que sus palabras no eran legítimas: por eso se* renovaron sus sospechas y le dijo:

–Hermano, si tienes que mentir en este viaje, lo debes hacer mejor. Dices que vas a la Peña de Francia, y la dejas treinta leguas* atrás; caminas de noche para llegar pronto, y vas por bosques sin caminos. Pero te pido una verdad: ¿no eres un paje que vi en la Corte, con fama de gran poeta, que hizo un soneto a una gitanilla de singular belleza? Yo imagino que estás aquí porque, enamorado de la gitanica, has venido a buscarla. Y aquí la has encontrado.

---

se renovaron volvieron y crecieron
leguas antiguamente, distancia que se recorre en una hora a pie

El mancebo admitió quién era y que había visto a Preciosa, pero no se había atrevido a hablarle.

–Preciosa es parienta mía –dijo Andrés–; si la quieres por esposa todos estaremos contentos y si la quieres por amiga, con tal de que tengas dinero, no te la negaremos.

El mozo respondió que llevaba cuatrocientos escudos de oro; Andrés se llevó un susto mortal, pensando que realmente quería llevarse a Preciosa, pero se tranquilizó cuando el mozo siguió hablando:

–¡Ay amigo! La fuerza que me ha traído aquí no es la del amor, sino una desgracia. Yo estaba en Madrid en casa de un noble, a quien servía como a un pariente. Su hijo, que me trataba con familiaridad y amistad grande, se enamoró de una doncella. Solo yo fui testigo de sus intentos por estar con ella y una noche, pasando los dos por su puerta, vimos arrimados* a ella dos hombres. Cuando nos vieron, echaron mano a sus espadas y nosotros también; en la lucha rápidamente acabamos* con ellos. Volvimos a casa, tomamos

arrimados situados junto a la puerta
acabamos con ellos los matamos

todos los dineros que pudimos y nos escondimos; luego supimos que una criada de la señora nos había denunciado a la justicia y huimos, cada uno por un camino. Yo, con este hábito de fraile, quiero ir a Sevilla y desde allí embarcarme para Italia. Esta es mi historia, buen amigo; si estos señores gitanos van a Sevilla y me llevan en su compañía, yo se lo pagaría muy bien.

Andrés fue a hablar de ello con los demás gitanos, los cuales oyendo la buena paga que ofrecía, lo acogieron enseguida y prometieron encubrirle. Solo Preciosa y la abuela eran contrarias; al final, determinaron irse a la Mancha y de allí al reino de Murcia.

Cuando el mozo supo lo que iban a hacer por él, como agradecimiento les dio cien escudos de oro; con esta dádiva quedaron contentísimos con don Sancho, que así dijo el mozo que se llamaba, aunque los gitanos se lo cambiaron en el de Clemente. No quedó contenta Preciosa con la permanencia de

Clemente, y tampoco Andrés, por parecerle que había cambiado demasiado pronto de planes. Para tenerlo vigilado, Andrés convirtió a Clemente en su camarada.

Dejaron los gitanos Extremadura y un mes y medio después llegaron al reino de Murcia. En todas las aldeas que pasaban había desafíos de pelota, de esgrima, de correr, de saltar y de otros ejercicios de fuerza, maña y ligereza, y siempre salían vencedores Andrés y Clemente. En todo este tiempo nunca se vieron Clemente y Preciosa hasta que un día, estando juntos Andrés y ella, lo llamaron y Preciosa le dijo:

–Desde la primera vez que llegaste a nuestro aduar te conocí, Clemente, y recordé los versos que me diste en Madrid. No te dije nada porque no sabía cuáles eran tus intenciones y cuando supe tu desgracia me pesó en el alma y me tranquilicé también: yo temía que lo mismo que hay don Juanes en el mundo que se* mudan en Andreses, también podía haber don Sanchos que se mudan

se mudan en se convierten en

en otros nombres. Te hablo así porque sé que conoces de Andrés la razón por la que se ha vuelto gitano. Tú estás en este aduar gracias a mí: para compensarme por este favor no debes despertar en Andrés ninguna duda sobre sus intenciones.

Respondió Clemente que antes de la confesión abierta de Andrés, ya había adivinado que no era gitano y el motivo que le llevaba a estar allí. Y cuando oyó las palabras de Andrés, alabó su determinación, pues la extrema belleza de Preciosa merecía los mayores esfuerzos. Agradeció a Preciosa su ayuda, deseó un final feliz a sus amores y prometió ser un apoyo para Andrés.

Clemente habló con tal afecto a Preciosa, que Andrés dudaba si hablaba como enamorado o como comedido*: tan infernal es la enfermedad de los celos. Pero el recato y la prudencia de Preciosa y la bondad de Clemente jamás procuraron pruebas a Andrés de traición alguna, y Andrés y Clemente fueron grandes amigos.

comedido prudente, moderado

Una mañana se levantó el aduar y se fueron a alojar en un lugar de la jurisdicción de Murcia, dando en aquel lugar algunas prendas de plata como fianzas, como solían hacer. Clemente, Andrés, Preciosa y su abuela con otras gitanillas se alojaron en el mesón de una viuda rica. Tenía la viuda una hija de diecisiete o dieciocho años, algo más desenvuelta* que hermosa, que se llamaba Juana Carducha. Esta, viendo bailar a los gitanos y gitanas, se enamoró de Andrés tan fuertemente que quiso tomarlo como marido sin importarle la opinión de sus parientes. Así, buscó la oportunidad para decírselo y la encontró en un corral donde estaba Andrés; con prisa para no ser vista le dijo:

–Andrés, yo soy doncella y rica; mi madre solo me tiene a mí, y este mesón es suyo junto a muchas otras posesiones. Me has parecido bien: si me quieres por esposa, seré tuya; quédate y verás qué vida nos damos.

–Señora –respondió Andrés, sorprendido–, yo estoy prometido para casarme, y los gitanos solo

---

desenvuelta descarada, atrevida con los hombres

nos casamos con gitanas; guárdela Dios por el favor que quería hacerme, del cual no soy digno.

La Carducha estuvo a punto de caerse muerta con la ácida respuesta de Andrés, y no le pudo replicar porque llegaban otras gitanas. Salió avergonzada, pensando en vengarse a la primera oportunidad. Andrés decidió huir de aquella ocasión que el diablo le ofrecía: Carducha se le iba a entregar aun sin estar casados, y no quería enfrentarse a esa situación. Pidió a todos los gitanos irse aquella noche de allí, y ellos cobraron sus fianzas y se fueron.

Carducha, al ver que Andrés se iba y sus deseos no se cumplían, decidió obligarlo a quedarse. Con gran industria*, sagacidad y secreto puso entre las alhajas de Andrés unos ricos corales y otras joyas suyas. En cuanto salieron del mesón, empezó a gritar, diciendo que aquellos gitanos le habían robado sus joyas; a estas voces acudió la justicia y toda la gente del pueblo.

industria *engaño, fingimiento*

Los gitanos hicieron alto; todos juraban que no habían robado nada y dijeron que estaban dispuestos a abrir todos sus sacos. Pero al segundo envoltorio que miraron dijo Carducha que había visto a aquel gitano gran bailador entrar dos veces en su aposento, y que sin duda podía ser él el ladrón. Andrés entendió que se refería a él y, riéndose, dijo:

–Señora doncella, este es mi pollino*; si halláis lo que os falta en él, os pagaré el doble de su valor y me someteré al castigo que la ley da a los ladrones.

Fueron los ministros de la justicia a desvalijar* el pollino y enseguida descubrieron el hurto. Andrés quedó tan espantado y absorto, que parecía una estatua sin habla, de piedra dura. La Carducha, contenta, se burló de él:

–¿No sospeché yo bien? ¡Mirad con qué buena cara se encubre un ladrón tan grande!

El alcalde también lanzó mil injurias a Andrés y a todos los gitanos, llamándolos ladrones y

pollino asno, burro
desvalijar vaciar, sacar todas las cosas

56

salteadores de caminos. Entonces se acercó un soldado bizarro, sobrino del alcalde, diciendo:

–¿Veis cómo se ha quedado el gitanico podrido de hurtar? ¡Este bellaco estaría mejor en las galeras sirviendo a su Majestad, que bailando y hurtando por ahí! A fe de soldado, que le voy a dar tal bofetada que le voy a derribar a mis pies.

Y sin más ni más, alzó la mano y le dio un bofetón tal, que lo espabiló* y le hizo recordar que no era Andrés Caballero sino don Juan, y caballero. Don Juan se lanzó sobre el soldado con gran cólera, le arrancó su misma espada de la vaina y se la clavó en el cuerpo, matándolo al instante.

Entonces todo el pueblo empezó a gritar, el tío alcalde se desesperó, Preciosa se desmayó y Andrés se sobresaltó al verla desmayada; acudieron todos a las armas y fueron tras el homicida. Creció la confusión, crecieron los gritos y Andrés, por acudir al desmayo de Preciosa, descuidó su defensa. Clemente no se encontraba en el lugar del desastre porque ya había salido del pueblo y finalmente fueron tantos los que se arrojaron

espabiló despertó

sobre Andrés, que le prendieron y lo ataron con dos gruesas cadenas. El alcalde quería ahorcarlo allí mismo, pero no estaba en su mano y tuvo que llevarlo a Murcia, por ser de su jurisdicción.

No lo llevaron a Murcia hasta el día siguiente y, durante aquella jornada, pasó Andrés muchos martirios y vituperios* que le hicieron sufrir el indignado alcalde, sus ministros y todos los del lugar. El alcalde prendió* a todos los gitanos y gitanas que pudo, aunque la mayoría consiguió huir; entre los huídos estaba Clemente, que se fue temiendo ser cogido y descubierto.

vituperios injurias, insultos
prendió detuvo, arrestó

DELE - Comprensión lectora

1 Elige la opción correcta.

1 Andrés descubrió que el paje le había mentido porque éste...

A ☐ se puso rojo.

B ☐ dijo que tenía prisa, pero no fue por los caminos más rápidos.

C ☐ estaba enamorado de Preciosa.

2 El paje dijo que viajaba de noche porque...

A ☐ quería ir más rápido.

B ☐ tenía miedo de los ladrones.

C ☐ estaba huyendo de la justicia.

3 Los gitanos aceptaron la presencia de Clemente porque...

A ☐ les dio dinero.

B ☐ era muy honesto y bueno en el juego.

C ☐ Preciosa sintió pena por él.

4 Un día Preciosa decidió por fin hablar con Clemente para...

A ☐ pedirle más versos.

B ☐ decirle que sabía quién era él.

C ☐ pedirle que no convenciera a Andrés de abandonarla.

5 La que se enamoró de Andrés...

A ☐ era una viuda rica.

B ☐ era una muchacha muy atrevida.

C ☐ quería irse con él y los gitanos.

6 Andrés mató al soldado porque éste...

A ☐ había buscado entre sus cosas.

B ☐ había provocado el desmayo de Preciosa.

C ☐ lo había ofendido.

Gramática

2 **Imagina que un amigo te cuenta estos acontecimientos poco después de que sucedan. Usa los verbos en Pretérito perfecto.**

«Esta mañana el aduar (levantarse) _se ha levantado_ y los gitanos (irse) .... a alojar en un lugar de Murcia. (ellos, alojarse) .... en el mesón de una viuda rica. La viuda tiene una hija que se llamaba Juana Carducha. Esta (enarmorarse) .... de Andrés tan fuertemente que (querer) .... casarse con él. Así, (buscar) .... la oportunidad para decírselo y (encontrarla) .... en un corral donde estaba Andrés».

3 **Elige la preposición correcta.**

Clemente dijo que iba ...a... la Peña de Francia. **a)** en **b)** a

1 Clemente llevaba consigo cuatrocientos escudos .... oro.

a) en **b)** de

2 Clemente y su amigo huyeron, cada uno .... un camino.

a) por **b)** para

3 Andrés quiso ser amigo de Clemente .... poder vigilarlo mejor.

a) por **b)** para

4 El motivo .... el que Andrés se hizo gitano era su amor por Preciosa.

a) para **b)** por

Actividad de pre lectura

Comprensión auditiva

▶ 5 **4** **Escucha el capítulo 6 y di si estas frases son verdaderas (V) o falsas (F).**

	V	F
1 Andrés sale de la cárcel porque su padre le ayuda.	☐	☐
2 Preciosa descubre que no es gitana.	☐	☐
3 Preciosa decide casarse con Andrés aunque sus padres no quieran.	☐	☐

Capítulo 6

Los corregidores

▶ 5 Por fin, con la sumaria* del caso y una gran multitud de gitanos, entraron el alcalde y sus ministros con mucha gente armada en Murcia. También iban Preciosa y el pobre Andrés, todo atado con cadenas y esposas. Salió toda Murcia a ver a los presos, pero la hermosura de Preciosa era tanta que todos los ojos estaban en ella. Llegó la noticia a oídos de la señora corregidora*, que por curiosidad convenció a su marido de salvarla de la cárcel y llevarla con su abuela a su casa. Andrés quedó en un oscuro calabozo.

Al ver a Preciosa, la corregidora la abrazó y preguntó a su abuela qué edad tenía aquella hermosa niña; cuando la gitana respondió que unos quince años, ella suspiró:

–Esos años tendría ahora mi desdichada Constanza. ¡Ay, amigas, esta niña me ha renovado mi desventura!

Preciosa entonces tomó sus manos y, besándoselas y bañándoselas con lágrimas, le dijo:

sumaria decisión judicial breve, sin seguir algunas formalidades
corregidora mujer del corregidor: juez con jurisdicción en un territorio determinado

–Señora mía, el gitano que está preso no tiene culpa, porque fue provocado: lo llamaron ladrón y no lo es, y le dieron un bofetón. Por Dios, que se haga justicia y no se ejecute deprisa el castigo que la ley amenaza, porque el fin de su vida es el fin de la mía. Él debe ser mi esposo, pero hasta ahora ni siquiera nos hemos tocado las manos. Señora, si sabéis qué es el amor, tened piedad de mí.

Mientras hablaba, lloraba ella y lloraba también la corregidora mientras la abrazaba; cuando entró el corregidor, Preciosa se asió a sus pies y, llorando, pidió clemencia para su esposo, que estaba libre de culpa.

La gitana vieja, viendo esta escena, quedó absorta pensando muchas cosas; y, al cabo, pidió a los corregidores permiso para hacer algo importante. Salió rápidamente y volvió con un pequeño cofre debajo del brazo; luego fue en privado a un aposento con los corregidores para contarles un gran secreto. La gitana entonces se hincó de rodillas ante ellos diciendo:

—Señores, os daré noticias que podrían procurarme un grave castigo por un gran pecado mío. Pero antes permitidme saber si conocéis estas joyas. Son de una pequeña criatura*, y en ese papel doblado está escrito de qué criatura son.

El corregidor abrió el papel y leyó:

La niña se llamaba Constanza; su madre, doña Guiomar de Meneses, y su padre, don Fernando de Azevedo. Me la llevé el día de la Ascensión del Señor, a las ocho de la mañana, del año 1595. Traía la niña puestos estos brincos* que en este cofre están guardados.

Cuando lo oyó la corregidora, reconoció los brincos, los besó mil veces y cayó desmayada. Cuando volvió* en sí y preguntó dónde estaba la criatura, contestó la gitana:

—Señora, en vuestra casa la tenéis: aquella gitanica que os hizo llorar es vuestra hija, que yo la hurté en Madrid de vuestra casa el día y hora que ese papel dice.

criatura bebé, niño de pocos días o semanas
brincos pequeñas joyas
volvió en sí se despertó

Al oír esto la corregidora corrió adonde estaba
Preciosa y, sin decir nada, le desabrochó la camisa y
miró si tenía un lunar blanco con el que había nacido,
y allí estaba. Luego le miró el pie y comprobó que
tenía dos dedos unidos. Así se convenció de que era
realmente su hija; la tomó en brazos y, besándola
mil veces, se la presentó al emocionado corregidor
como la hija que habían perdido. Él decidió que de
momento debían mantener la noticia en secreto y
perdonó a la vieja gitana; solo estaba triste porque su
propia hija estaba enamorada de un gitano ladrón y
homicida. Entonces Preciosa y la gitana le contaron
la verdadera historia de don Juan de Cárcamo.
Quedó sorprendido el corregidor con todo ello y
decidió sacar a don Juan del calabozo; pero quiso
ir solo para ponerlo a la prueba y ver si era quien
Preciosa se merecía.

Llegó el corregidor al calabozo y allí estaba don Juan
encadenado. El corregidor se dirigió a él llamándolo
gitano ladrón y le dijo que Preciosa, sabiendo que él
tenía que morir por su delito, quería casarse con él

antes de su muerte. El preso se sintió feliz de morir siendo marido de su amada, así que el corregidor le prometió que esa misma noche se iban a casar, y que al día siguiente moriría en la horca.

A las diez de esa noche sacaron a Andrés de la cárcel con una gran cadena alrededor del cuerpo y lo llevaron a casa del corregidor. Entró en una sala donde estaban doña Guiomar, el corregidor, Preciosa y dos criados; cuando Preciosa lo vio atado y descolorido*, tuvo que arrimarse al brazo de su madre.

El corregidor, tras dar un buen susto a Andrés fingiendo que le iban a confesar para llevarlo al patíbulo, le preguntó:

–Tu suerte te ha traído por un camino de sobresaltos y sustos. ¿Estarías contento de casarte con Preciosa, siendo don Juan de Cárcamo en vez de Andrés Caballero?

–Pues Preciosa ha descubierto quién soy –dijo Andrés–, digo que ser el rey del mundo tendría para mí menos valor que ser esposo de Preciosa.

descolorido pálido

Al oír estas palabras el corregidor prometió a don Juan la mano de Preciosa:

–Te entrego la más rica joya de mi casa, de mi vida y de mi alma; te doy a doña Constanza de Meneses, mi única hija.

Andrés quedó atónito viendo el amor que mostraban los corregidores por Costanza, y doña Guiomar le contó la pérdida de su hija y su hallazgo. Entonces abrazó a sus suegros llamándoles padres y besó las manos de su futura y feliz esposa, Preciosa.

La prisión y las cadenas de hierro se volvieron libertad y cadenas de oro; la tristeza de los gitanos presos se convirtió en alegría, ya que los liberaron de la cárcel.

Se descubrió que Clemente se había embarcado en una galera de Génova y estaba a salvo.

Dijo el corregidor a don Juan que antes de casarse debían esperar a su padre, don Francisco de Cárcamo; don Juan prometió hacer lo que

quisieran, pero que debía desposarse* con Preciosa
enseguida. Así se hizo, y el día del desposorio
la ciudad se vistió de fiesta para la ocasión con
luminarias, toros y cañas*; la gitana vieja se quedó
en casa, porque no quiso separarse de su nieta
Preciosa.

Llegó a la Corte la noticia del caso de la gitanilla;
supo don Francisco de Cárcamo que su hijo era el
gitano y Preciosa la gitanilla que él había visto. En
veinte días ya estaban en Murcia y poco después
se celebró la boda.

Se me olvidaba decir que la enamorada mesonera
descubrió a la justicia que no era verdad lo del
hurto de Andrés el gitano, y confesó su amor y
su culpa. No recibió castigo alguno, porque en la
alegría del hallazgo de los desposados se enterró
la venganza y resucitó la clemencia. ■

---

desposarse hacer una promesa de matrimonio
cañas en una fiesta, tipo de contienda a caballo

Comprensión lectora

1 **¿Quién dice estas frases? Escribe el nombre de cada personaje.**

> Preciosa • ~~Andrés~~ • la corregidora •
> el corregidor • la gitana vieja

......*Andrés*...... : «Ser el rey del mundo tendría para mí
menos valor que ser esposo de Preciosa».

1 .... : «Esos años tendría ahora mi desdichada
Constanza».

2 .... : «Aquella gitanica que os hizo llorar es
vuestra hija, que yo la hurté en Madrid de
vuestra casa».

3 .... : «Señora, si sabéis qué es el amor, tened
piedad de mí».

4 .... : «Te entrego la más rica joya de mi casa,
de mi vida y de mi alma».

2 **Une cada pregunta con su respuesta.**

1 ☑ ¿Por qué la corregidora llevó a Preciosa a su casa?
2 ☐ ¿Qué pedía Preciosa a los corregidores?
3 ☐ ¿Quién reveló la verdadera identidad de Preciosa?
4 ☐ ¿Dónde había robado la vieja a Preciosa?
5 ☐ ¿Qué dijo el corregidor a Andrés?
6 ☐ ¿Qué hizo la gitana vieja cuando se desposaron los
novios?

a Que lo sacaba de la cárcel para casarlo primero y
ejecutarlo después.
b Piedad para Andrés.
c En Madrid.
d Porque había oído hablar de ella y sentía curiosidad.
e Se quedó en casa con su "nieta".
f La gitana vieja.

Vocabulario y gramática

3 **Preciosa y su madre hablaron mucho. Elige la opción correcta.**

Preciosa contó a (0) .....*su*........ madre toda su vida. Doña Guiomar le preguntó si quería a don Juan de Cárcamo. Ella, con (1) .... y con los ojos en el suelo, le dijo que (2) .... vez le había mirado con ojos aficionados. Las razones eran muchas: sabía que su suerte mejoraba casándose (3) .... un caballero tan principal (4) .... don Juan de Cárcamo. (5) ...., había visto por experiencia su buena condición y honesto trato.

	a	suya	**b**	la su	**c**	su
1	**a**	astucia	**b**	vergüenza	**c**	ligereza
2	**a**	algo	**b**	toda	**c**	alguna
3	**a**	con	**b**	a	**c**	en
4	**a**	cuanto	**b**	de	**c**	como
5	**a**	Por desgracia	**b**	Además	**c**	Pero

DELE - Expresión escrita

4 **La historia de Preciosa y Andrés tiene un final feliz. Imagina que Preciosa decide pasar los veranos con los gitanos. Escribe una postal de Preciosa a sus padres, contándoles sus vivencias.**

Queridos padres:
Ayer llegamos a Granada.
....
....
....
....

Un abrazo
Constanza

Miguel de Cervantes

A este dramaturgo, poeta y novelista español se le conoce en todo el mundo por su obra más importante: la novela *El ingenioso hidalgo don Quijote de la Mancha*.

La juventud

Miguel de Cervantes Saavedra tuvo una vida muy aventurosa, de la que poco se sabe con seguridad. Nació en Alcalá de Henares (Madrid), en 1547. Con poco más de veinte años se fue a Roma al servicio del cardenal Acquaviva. Recorrió Italia, se enroló en la Armada española y en 1571 participó en la famosa batalla de Lepanto, donde comienza el declive del poderío turco en el Mediterráneo. Allí Cervantes resultó herido y perdió el movimiento del brazo izquierdo (por eso lo llamaban el Manco de Lepanto).

Los años de cautiverio

En 1575, cuando regresaba a España, los corsarios le apresaron y llevaron a Argel, donde sufrió cinco años de cautiverio (1575-1580). Intentó fugarse cinco veces sin éxito y por fin unos frailes pagaron su rescate. A su regreso a Madrid encontró a su familia en la ruina; se casó e intentó rehacer su vida escribiendo. Publicó *La Galatea* (1585) y luchó, sin éxito, por destacar en el teatro. Sin medios para vivir, marchó a Sevilla como recaudador de impuestos, pero... acabó en la cárcel por irregularidades en sus cuentas.

Valladolid

De Sevilla se trasladó a Valladolid. En 1605 publicó la primera parte del Quijote, pero el éxito duró poco. De nuevo fue encarcelado a causa de la muerte de un hombre delante de su casa. En 1606 regresó con la Corte a Madrid. Tuvo dificultades económicas y se entregó a la creación literaria. En sus últimos años publicó las *Novelas ejemplares* (1613), el *Viaje del Parnaso* (1614), ocho comedias y ocho entremeses (1615) y la *segunda parte del Quijote* (1615). El triunfo literario no lo libró de sus penurias económicas. Dedicó sus últimos meses de vida a *Los trabajos de Persiles y Segismunda* (de publicación póstuma, en 1617). Murió en Madrid el 22 de abril de 1616 y fue enterrado al día siguiente.

Casa de Cervantes

Creador de la novela moderna

Cervantes es considerado como el creador de la primera novela moderna. *El Quijote* es un compendio de las principales tendencias novelescas de la época (pastoril, picaresca, caballeresca, etc.) pero de forma innovativa, con una estructura en episodios que pretende dar una unidad a un texto realmente largo.

Novelas ejemplares (1613)

Entre 1590 y 1612 Cervantes fue escribiendo una serie de novelas cortas. Después del éxito obtenido con la primera parte del *Quijote* en 1605, acabó reuniéndolas en 1613 en la colección de las *Novelas ejemplares* (en un principio se titulaban *Novelas ejemplares de honestísimo entretenimiento*). Como existen dos versiones distintas de algunas de estas novelas, se cree que Cervantes las modificó a lo largo del tiempo para introducir toques de "ejemplaridad" (es decir, enseñanza o modelo) social, moral y estética de estas novelas o narraciones cortas.

Novelas ejemplares,
La ilustre fregona (1898)

Grabado *El coloquio de los perros*, (1783).

La novela corta

Antes de Cervantes no existía en la literatura española tradición de novela corta: las que circulaban eran adaptaciones o traducciones de los *novellieri* italianos. Cervantes españolizó el género, creando la novela corta en la literatura castellana. Sus características son: finalidad ética, equilibrio entre seriedad y comicidad, estudio psicológico de los personajes, busca divertir y enseñar, presta importancia al diálogo y se acerca a la forma del teatro. Además de *La Gitanilla*, algunas de las 12 novelas ejemplares son *Rinconete y Cortadillo*, *El licenciado Vidriera*, *La ilustre fregona* o *El coloquio de los perros*.

75

Esplendor y decadencia de un gran imperio

Toda obra artística es, de algún modo, una autobiografía; en el caso de Cervantes es relmente evidente. Su juventud transcurre en el momento más alto del Imperio español; su madurez presencia el derrumbamiento de su poderío. Efectivamente, nace y crece cuando, con Carlos I y luego su hijo Felipe II, el Imperio español domina Europa y las posesiones de ultramar; en cambio en su madurez contempla la decadencia y es protagonista humilde, como recaudador de impuestos, del símbolo del deterioro: la derrota de La Armada Invencible.

El actor Eduard Fernandez interpreta a Felipe II en la película 'La princesa de Éboli'.

Sociedad

En el siglo XVII, España sufrió una grave crisis demográfica, consecuencia de la expulsión de casi 300.000 moriscos y de la mortalidad provocada por las continuas guerras, el hambre y la peste. La sociedad española del siglo XVII era una sociedad escindida: la nobleza y el clero conservaron tierras y privilegios, mientras que los campesinos sufrieron en todo su rigor la crisis económica. La miseria en el campo arrastró a muchos campesinos hacia las ciudades, donde esperaban mejorar su calidad de vida; pero en las ciudades se vieron obligados a mendigar, cuando no directamente a convertirse en delincuentes para poder sobrevivir.

Felipe II

La nobleza y el clero

Por otra parte, la jerarquización y el conservadurismo social dificultaban el paso de un estamento a otro y sólo algunos burgueses lograron acceder a la nobleza. La única posibilidad que se ofrecía al estado llano para obtener los beneficios que la sociedad estamental concedía a los estamentos privilegiados era pasar a las filas del clero. Este hecho, unido al clima de fervor religioso, trajo como consecuencia que durante el siglo XVII se duplicara el número de eclesiásticos en España.

La Armada Invencible

Test final

Completa este pasatiempos con las definiciones y descubre el nombre de un personaje cervantino.

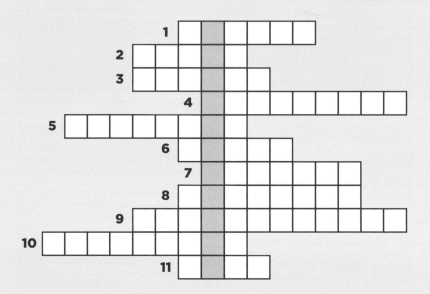

1 Moneda de gran valor en aquella época.

2 Señal con la que doña Guiomar reconoció a Preciosa.

3 ¿Cuántos años tenía Preciosa?

4 A don Juan le pusieron como apellido falso...

5 Apellido de la muchacha que se enamora de Andrés.

6 Así se llama también Madrid, por ser sede de la realeza.

7 Cuadrúpedo con orejas largas con el que se movían los gitanos.

8 Allí metieron a Andrés cuando entraron en Murcia.

9 Se la leyó Preciosa a doña Clara en la mano.

10 Es el verdadero nombre de Preciosa.

11 Profesión de Clemente antes de caer en desgracia.

Programa de estudio

Temas
Amor
Astucia, picaresca
Honor
Familia
Sociedad
Avaricia

Destrezas
Comprender un texto escuchado y responder a preguntas
Describir personas y lugares
Escribir una carta o una postal
Contar experiencias pasadas
Narrar un evento que ha sucedido
Narrar algo que se cree que va a suceder.
Inventar una historia a través de datos y detalles

Contenidos gramaticales
Presente de indicativo (verbos regulares e irregulares)
Pretérito Perfecto Simple
Pretérito Indefinido
Pretérito Imperfecto
Adjetivos y pronombres posesivos y demostrativos
El Futuro con la perífrasis *ir a + infinitivo*
Los verbos ser/estar
Las preposiciones
Marcadores temporales

Lecturas ⊞ Adolescentes

Nivel 1
Maureen Simpson, *En busca del amigo desaparecido*

Nivel 2
Miguel de Cervantes, *La gitanilla*
Johnston McCulley, *El Zorro*
Don Juan Manuel, *El conde Lucanor*
B. Brunetti, *Un mundo lejano*
Mary Flagan, *El recuerdo egipcio*

Nivel 3
Tirso de Molina, *El burlador de Sevilla*
Mary Flagan, *El diario de Val*
Maureen Simpson, *Destino Karminia*

LECTURAS ⊞ JÓVENES Y ADULTOS

NIVEL 2
Anónimo, *El Lazarillo de Tormes*

NIVEL 3
Leandro Fernández de Moratín, *El sí de las Niñas*
Benito Pérez Galdós, *Marianela*
Fernando de Rojas, *La Celestina*

NIVEL 4
Miguel de Cervantes, *Don Quijote de la Mancha*
Miguel de Unamuno, *Niebla*